Vocabulary & Grammar

세종 한국어

어휘·표현과 문법

3A

차례

1부

Vocabulary

어휘와 표현

01	어휘와 표현	VOCABULARY	그동안 어떻게 지냈니?

한국어	ENGLISH	예문
오랜만이야	long time no see, it's been a long time	정말 오랜만이야. 그동안 잘 지냈어?
웬일이야	what's up	어머, 웬일이야. 여기서 만나다니.
이게 얼마 만이야	long time no see, it's been a long time	이게 얼마 만이야? 잘 지냈지?
이곳저곳 다니다	travel around	방학동안 이곳저곳 다니면서 쉬었어요.
여기저기 다니다	travel around	이번 여행은 혼자서 여기저기 다녀 보려고요.
이런저런 이야기를 하다	talk about various things	차를 마시며 이런저런 이야기를 했어요.
한가하게 지내다	have a good time, be at leisure	나는 요즘 한가하게 지내고 있어.
정신없이 지내다	have a busy time, be in a hurry	요즘 회사에 일이 많아서 정신없이 지내고 있어.
그저 그렇게 지내다	have an ordinary time, nothing special	특별히 힘든 건 없는데, 그저 그렇게 지내고 있어.
특별한 일 없이 지내다	have an ordinary time, nothing special	특별한 일 없이 잘 지내고 있어요.

02	어휘와 표현	VOCABULARY	요즘 좀 바쁘다고 해
한국어		ENGLISH	예문
입학을 하다		enter the school	내년에 한국 대학교에 입학을 해요.
졸업을 하다		graduate	졸업을 하고 바로 취직을 할 거예요.
장학금을 받다		receive a scholarship	시험을 잘 봐서 꼭 장학금을 받고 싶어요.
휴학하다		take leave	1년 동안 여행을 하려고 휴학했어요.
일자리를 구하다/찾다		look for a job	요즘 일자리를 구하고 있어요.
회사에 지원하다		apply for a company	한국 회사에 지원하려고 해요.
회사에서 근무하다		work in a company	이 회사에서 근무하는 동안 많은 것을 배웠어요.
일을/업무를 맡다		take a task, undertake a task	이번에 중요한 일을 맡았는데 잘하고 싶어요.
승진하다		get promoted	지난번에 맡은 업무 결과가 좋아서 승진했어요.
일을 그만두다		quit one's job	결혼하고 일을 그만둘 거예요?
운전면허를 따다		get a driver's license	저는 대학교에 다닐 때 운전면허를 땄어요.
청혼을 하다		propose marriage	사랑하는 여자 친구에게 청혼을 했어요.
청혼을 받다		get a proposal for marriage	남자 친구한테 청혼을 받았는데 정말 기뻐요.
아이를 낳다		give a birth to a baby	친구가 아이를 낳아서 어제 아이를 보러 갔어요.

03 어휘와 표현	VOCABULARY	이번에 이사를 할까 해요
한국어	ENGLISH	예문
부동산	real estate agency	부동산에 가서 집을 구했어요.
이삿짐 센터	moving company	이사를 갈 때 이삿짐 센터를 이용하면 편리해요.
계약	contract	이사 갈 집을 계약하려고 해요.
월세	monthly rent	새로 이사한 집은 월세가 좀 비싼 것 같아요.
보증금	deposit	보증금이 비싸지 않으면 좋겠어요.
이삿날	moving day	이삿날 날씨가 좋아요.
이삿짐을 싸다	pack for moving	친구들과 이삿짐을 쌌어요.
이삿짐을 나르다/옮기다	move one's packages	이삿짐 센터에서 이삿짐을 나르고 있어요.
이삿짐을 풀다	unpack for moving	이삿짐을 풀기 전에 청소를 했어요.
이삿짐을 정리하다	organize one's packages	이삿짐을 정리하는 데 시간이 많이 걸려요.
집으로 초대하다	invite to one's house	이사를 한 후에 친구들을 집으로 초대했어요.
집들이를 하다	have a housewarming party	친구들을 초대해서 집들이를 했어요.
시장이 가깝다	close to a market	이사한 집은 시장이 가까워서 좋아요.
교통이 편리하다	transportation is convenient	교통이 편리한 집으로 이사 가고 싶어요.
주변 환경이 조용하다	surroundings are quiet	주변 환경이 조용한 집에서 살고 싶어요.

04	어휘와 표현	VOCABULARY	나는 거실 청소를 할 테니까 넌 주방 청소를 해 줘

한국어	ENGLISH	예문
청소기	vacuum cleaner	청소기가 있어서 편리해요.
세탁기	laundry machine	세탁기가 고장 나서 빨래를 못 했어요.
걸레	rag	걸레가 어디에 있어요?
대걸레	mop	바닥을 닦을 때 대걸레가 필요해요.
빗자루	broom	빗자루 좀 가져다 주세요.
쓰레받기	dustpan	쓰레받기를 사야 해요.
쓰레기통	trashcan	쓰레기는 쓰레기통에 버려 주세요.
주방 세제	dish detergent	마트에 가면 주방 세제를 살 수 있어요.
세탁 세제	laundry detergent	집들이 선물로 세탁 세제를 사 왔어요.
고무장갑	rubber glove	고무장갑을 끼고 설거지를 하세요.
청소기를 돌리다	run the vacuum cleaner	제가 청소기를 돌릴게요.
세탁기를 돌리다	run the laundry machine	세탁기를 돌리고 나서 청소를 하려고 해요.
설거지를 하다	wash the dishes	저는 설거지를 하는 것을 좋아해요.
손빨래를 하다	hand wash	스웨터는 손빨래를 하는 것이 좋아요.
바닥을 쓸다	sweep the floor	바닥을 먼저 쓰는 게 어때요?
바닥을 닦다	mop the floor	바닥을 닦으려면 이 대걸레를 쓰세요.
빨래를 널다	hang the laundry	세탁기가 다 돌아갔으니까 빨래를 널게요.
걸레질을 하다	mop	걸레질을 하면 깨끗할 거예요.
쓰레기를 버리다	throw trash	쓰레기를 아무 데나 버리지 마세요.
쓰레기통을 비우다	empty a trashcan	쓰레기통을 비워야 해요.
먼지를 털다	dust off	먼지가 많아서 먼지를 털어야겠어요.

05	어휘와 표현	VOCABULARY	환불하려면 영수증이 필요합니다

한국어	ENGLISH	예문
구입하다	purchase, buy	시계를 지난주에 구입했는데 바꾸고 싶어서요.
결제하다	pay	카드로 결제하셨어요?
카드로 계산하다	pay by credit card	카드로 계산할게요.
현금으로 계산하다	pay in cash	현금으로 계산하고 싶어요.
가격이 저렴하다	price is cheap	학교 앞에 있는 옷 가게가 가격이 저렴해요.
디자인이 마음에 들다	like the design	저 디자인이 제일 마음에 들어요.
어울리다	suit	이 티셔츠 저한테 잘 어울려요?
안 어울리다	don't suit	까만색이 저한테 안 어울리는 것 같아요.
사이즈가 딱 맞다	the size fits just right	운동화를 선물받았는데 사이즈가 딱 맞아요.
사이즈가 안 맞다	the size doesn't fit	사이즈가 안 맞으면 교환하러 오세요.
얼룩이 있다	be stained	바지에 얼룩이 있어서 세탁했어요.
끈이 떨어지다	the strap fell off	며칠 전에 산 가방 끈이 떨어졌어요.
장식이 떨어지다	the decoration fell off	장식이 떨어져서 제가 직접 다시 붙였어요.
망가지다	break, destroy	핸드폰을 떨어뜨려서 망가졌어요.
교환하다	exchange	신발이 작아서 교환하고 싶어요.
환불하다	refund	다른 색깔이 없으면 환불할게요.
말이 통하다	get along well	진 씨는 저하고 말이 잘 통해서 좋아요.
적응	get accustomed to	한국 생활에 적응이 됐어요?
신분증	ID card, identification card	수업을 신청하려면 신분증이 필요해요.
신청서	application form	신분증을 만들고 싶으면 신청서를 써서 주세요.

영수증	receipt	물건을 살 때 꼭 영수증을 받으세요.
그냥	just	마음에 드는 게 없으니까 그냥 환불해 주세요.
찢어지다	be torn	집에 와서 보니까 옷이 조금 찢어졌어요.
유의 사항	precautions	사용하기 전에 유의 사항을 꼭 확인하세요.
상품	goods, item	이것과 똑같은 상품은 지금 없습니다.
세탁	wash, laundry	얼룩이 있어서 세탁을 했어요.
이내	within	교환하고 싶으면 일주일 이내에 오세요.
가능(하다)	possible	환불은 안 되고 교환은 가능합니다.
태그	tag	옷에 붙어 있는 태그를 잘랐어요.
바가지 쓰다	be overcharged, be ripped off	이 티셔츠를 오만 원에 샀어요. 바가지 쓴 것 같아요.

06	어휘와 표현	VOCABULARY	새로 사려다가 수리해서 쓰고 있어요

한국어	ENGLISH	예문
고장이 나다	out of order	노트북이 고장이 나서 숙제를 못 했어요.
수리를 맡기다	get something fixed	수리를 맡긴 노트북을 찾으러 가요.
서비스 센터	customer service, service center	핸드폰이 고장 났는데 서비스 센터가 어디에 있어요?
화면이 안 나오다	the screen goes blank	텔레비전 화면이 갑자기 안 나와요.
이상한 소리가 나다	make a strange noise	컴퓨터에서 이상한 소리가 나요.
소리가 안 나오다	no sound comes out	스피커에서 소리가 안 나오는 것 같아요.
바람이 안 나오다	no air comes out	에어컨에서 바람이 안 나와요.
액정이 깨지다	phone screen is broken	핸드폰 액정이 깨졌어요.
전원이 안 켜지다	does not turn on	컴퓨터 전원이 안 켜지는데 어쩌죠?
인터넷 연결이 안 되다	cannot connect to the internet	핸드폰에 인터넷 연결이 안 되네요.
전원을 켜다	turn the power on	전원을 다시 켜 보세요.
전원을 끄다	turn the power off	화면이 안 나오면 전원을 끄고 다시 켜 봐요.
플러그를 꽂다	plug something in	플러그를 잘 꽂았어요?
플러그를 빼다	unplug	외출할 때는 플러그를 모두 빼고 나가세요.
버튼을 누르다	press the button	버튼을 꾹 누르면 켜질 거예요.
고치다	fix, repair	에어컨을 고쳐야 하는데 어떻게 해야 해요?
부탁하다	ask for	시간이 없어서 친구에게 숙제를 부탁했어요.
수리비	repair cost	핸드폰을 수리하는데 수리비가 너무 비쌌어요.

전체	whole	화면이 깨져서 전체를 수리해야 해요.
새로	newly	카메라가 고장 나서 새로 샀어요.
화를 내다	get angry	동생이 약속을 안 지켜서 화를 냈어요.
포기하다	give up	새로운 일이 많이 힘들지만 포기하지 않을 거예요.
벌써	already	벌써 점심 시간이에요?
낫다	be better	혼자 준비하는 것보다 친구하고 같이 하는 게 더 나아요.
바닥	floor	에어컨 고장 났어요? 바닥에 물이 많아요.
달러	dollar	이 한국 돈을 달러로 바꿔 주세요.

07 어휘와 표현	VOCABULARY	여자 친구하고 만난 지 곧 3년이 돼
한국어	ENGLISH	예문
밸런타인데이	Valentine's Day	밸런타인데이에 초콜릿을 선물해요.
어린이날	Children's Day	5월 5일은 어린이날이에요.
세계 여성의 날	International Women's Day	3월 8일은 세계 여성의 날이에요.
100일	100th day	아이가 태어난 지 100일이 된 것을 축하해요.
1주년	anniversary	지난주가 결혼 1주년이어서 남편과 여행을 갔다 왔어요.
어버이날	Parents' Day	5월 8일은 어버이날이에요.
스승의 날	Teacher's Day	5월 15일은 스승의 날이에요.
결혼기념일	wedding anniversary	오늘은 저의 결혼기념일이에요.
부부의 날	couple's day	5월 21일은 부부의 날이에요.
성년의 날	Coming-of-age Day	성년의 날은 매년 5월 셋째 주 월요일이에요.
근로자의 날	Labor Day	5월 1일은 근로자의 날이에요.
기념행사를 하다	celebrate	한글날 기념행사를 했어요.
기념일을 맞이하다	commemorate the anniversary	기념일을 맞이해서 행사가 열렸어요.
기념일을 챙기다	celebrate the anniversary	기념일을 챙기려고 선물을 샀어요.
외식을 하다	eat out	좋아하는 식당에서 외식을 할 거예요.
꽃을 달아 드리다	give flowers, decorate with flowers	부모님께 꽃을 달아 드려요.
이벤트를 준비하다	prepare an event	친구 생일을 축하하는 이벤트를 준비했어요.

건강식품을 선물하다	give healthy food as a gift	부모님께 건강식품을 선물했어요.
상품권을 선물하다	give a gift card as a gift	친구에게 상품권을 선물했어요.
케이크를 주문하다	order a cake	동생 생일이라서 케이크를 주문했어요.
재료	materials	김밥을 만들고 싶은데 무슨 재료가 필요해요?

08	어휘와 표현	VOCABULARY	한글날을 기념하기 위해서 여러 가지 행사를 한다고 해

한국어	ENGLISH	예문
국경일	national holiday	한국은 국경일에 태극기를 달아요.
3·1절	Samiljeol; Independence Movement Day	3·1절은 한국의 국경일 중 하나예요.
광복절	Gwangbogjeol; National Liberation day, Korea's Independence Day	광복절은 한국의 국경일이에요.
한글날	Hangeul Day; Hangeul Proclamation Day	한글날은 한글이 만들어진 것을 기념하는 날이에요.
제헌절	Jeheonjeol; Constitution Day	제헌절은 7월 17일이에요.
개천절	Gaecheonjeol; National Foundation Day of Korea	개천절은 10월 3일이에요.
참가를 신청하다	apply for a contest	말하기 대회에 참가를 신청했어요.
신청서를 작성하다	fill out	말하기 대회의 신청서를 작성했어요.
신청서를 제출하다	submit the application form	작성한 신청서를 제출했어요.
행사에 참가하다	participate in the event	한글날을 기념하는 행사에 참가했어요.
대회에 나가다	join a contest	한국어 말하기 대회에 나갔어요.
예선을 통과하다	pass the preliminary round	말하기 대회의 예선을 통과했어요.

본선에 올라가다/진출하다	go up to the finals	말하기 대회의 본선에 올라갔어요.
1등을/1위를 하다	win the first prize	말하기 대회에서 1등을 했어요.
상을 타다/받다	win the prize	말하기 대회에서 상을 탔어요.
상금을 받다	get a reward	1등을 해서 상금을 받았어요.
상금을 주다	give a reward	이번 대회에서 1등을 하면 상금을 준다고 해요.
기념품을 받다	get a gift	대회에 나가서 기념품을 받았어요.
기념품을 주다	give a gift	참가자들에게 기념품을 줬어요.

09	어휘와 표현	VOCABULARY	비가 오면 오히려 기분이 좋아지는데요

한국어	ENGLISH	예문
한여름	midsummer	한여름에 팥빙수를 먹으면 시원해요.
한겨울	midwinter	1월은 한겨울이라서 추워요.
무더위	sweltering weather, hot and humid weather	요즘 무더위가 시작돼서 외출하기가 힘들어요.
장마	rainy season	올해는 장마가 일찍 시작할 거라고 해요.
태풍	typhoon	태풍이 우리 나라를 지나갔어요.
화창하다	sunny	오늘 오랜만에 날씨가 화창해서 기분이 좋아요.
푹푹 찌다	hot and humid	한여름에는 날씨가 푹푹 쪄서 기분이 안 좋아요.
선선하다	cool	가을이 오면 날씨가 선선해서 산책하기 좋아요.
포근하다	warm	봄에는 햇볕이 포근합니다.
우중충하다	cloudy and gloomy	장마철에는 비가 많이 와서 날씨가 우중충해요.
우울하다	depressed	나는 날씨가 흐리면 기분이 우울해요.
짜증 나다	annoying	짜증 나는 무더위가 계속되고 있어요.
답답하다	stuffy	방이 좁아서 덥고 답답해요.
마음이 편안하다	feel relieved, feel comfortable	시험이 끝나서 마음이 편안해요.
마음이 가볍다	feel light	고민하던 일이 해결되어서 마음이 가벼워요.
기분이 가라앉다	feel down	비가 오는 날에는 기분이 가라앉아요.

10	어휘와 표현	VOCABULARY	오늘은 일찍 들어가도록 하세요

한국어	ENGLISH	예문
열이 나다	have a fever	열이 나서 결석했어요.
열이 심하다	the fever is severe	열이 심하면 병원에 가도록 하세요.
기침을 하다	cough	오늘 아침부터 기침을 하기 시작했어요.
재채기를 하다	sneeze	봄에는 꽃가루 때문에 재채기를 해요.
목이 붓다	one's throat is swollen	감기에 걸려서 목이 부었어요.
배탈이 나다	have a stomachache	매운 음식을 먹어서 배탈이 났어요.
눈이 충혈되다	have bloodshot eyes, be red-eyed	요즘 잠을 잘 못 자서 눈이 충혈되었어요.
두통이 생기다	have a headache	어제 잠을 잘 못 자서 두통이 생겼어요.
충치가 생기다	have a cavity in one's tooth	충치가 생기면 치과에 가야 해요.
피부가 간지럽다	one's skin is itchy	피부가 간지러워서 피부과에 갈까 해요.
손목을 삐다	sprain one's wrist	손목을 삐어서 숙제를 못 했어요.
발목을 삐다	sprain one's ankle	축구를 하다가 발목을 삐었어요.
연고를 바르다	apply ointment	손에 상처가 생겨서 연고를 발랐어요.
파스를 바르다	put a pain relief patch	발목을 다쳐서 파스를 발랐어요.
냉찜질을 하다	apply a cold compress	발목을 삐어서 냉찜질을 했어요.
온찜질을 하다	apply a hot compress	눈이 충혈되면 온찜질을 하면 도움이 돼요.
붕대를 감다	be bandaged	손목을 삐어서 붕대를 감았어요.

11	어휘와 표현	VOCABULARY	주말에는 집에서 쉬는 게 좋더라고요
한국어		ENGLISH	예문
스트레스가 풀리다		relieve stress	운동을 하면 스트레스가 풀려요.
뿌듯한 기분이 들다		feel proud, feel boastful	새로운 것을 배우면 뿌듯한 기분이 들어요.
일상에서 벗어나다		escape from everyday life	여행을 가면 일상에서 벗어날 수 있어요.
생활에 활기가 생기다		give energy to one's life	운동을 하면 생활에 활기가 생겨요.
쓸데없는 생각이 사라지다		useless thoughts disappear	그림을 그리면 쓸데없는 생각이 사라져요.
새로운 사람을 만나다		meet a new person	악기를 배우러 가서 새로운 사람을 만났어요.
기분 전환이 되다		one's mind changes	바다를 보니까 기분 전환이 돼요.
성취감을 느끼다		feel a sense of accomplishment	그림을 잘 그리게 되어서 성취감을 느껴요.
자기 계발을 하다		develop oneself, work on oneself	자기 계발을 하기 위해서 외국어를 배워요.

12 어휘와 표현	VOCABULARY	이 영화를 꼭 보라고 추천하고 싶다
한국어	ENGLISH	예문
액션	action	액션 영화를 자주 봐요.
멜로	melodrama	멜로 영화가 인기가 많아요.
코미디	comedy	코미디 영화를 좋아하는 편이에요.
사극	historical drama	사극을 보는 것을 좋아해요.
공포	horror movie	공포 영화는 별로 안 좋아해요.
콘서트	concert	콘서트에 자주 가는 편이에요.
연주회	concert, performance	피아노 연주회에 가 보고 싶어요.
뮤지컬	musical	뮤지컬을 보는 것을 좋아해요.
비보잉	B-boying	비보잉 공연을 보러 간 적이 있어요.
케이팝	K-POP	평소에 케이팝을 자주 들어요.
대중가요	popular music	대중가요를 좋아해요.
전통 음악	traditional music	전통 음악에 관심이 많아요.
클래식	classical music	클래식 음악을 자주 듣는 편이에요.
힙합	hip-hop music	힙합이 요즘에 인기가 많아요.
발라드	ballads	조용한 발라드를 듣는 것을 좋아해요.
감동적이다	touching	이 영화는 정말 감동적이에요.
지루하다	boring	영화가 지루했어요.
손에 땀을 쥐다	make one's palm sweat	손에 땀을 쥐게 하는 영화였어요.
연출이 뛰어나다	directing is excellent	감독의 연출이 뛰어난 드라마예요.

연기가 뛰어나다	performance is excellent	그 배우는 우는 연기가 뛰어나요.
인상적이다	impressive	배우의 연기가 정말 인상적이었어요.
가슴이 찡하다	one's heart is wrinkled, one's heart is pounding	가슴이 찡해서 드라마를 보면서 울었어요.
기대에 못 미치다	don't/doesn't meet one's expectation	이 드라마는 기대에 못 미쳐서 실망했어요.
생생하다	vivid	드라마에 나오는 풍경이 정말 생생했어요.
박진감 넘치다	full of excitement	박진감 넘치는 액션 장면이 멋있어요.
흥미진진하다	interesting, exciting	영화 내용이 흥미진진했어요.
조마조마하다	breathtaking	영화를 보는 동안 계속 조마조마했어요.
뻔하다	obvious, plain	이 드라마는 내용이 뻔해서 재미없었어요.

2부

Grammar

문법

-니?, -자

의미 MEANING

아랫사람 또는 친구와 같이 친한 사이에서 질문을 하거나 권유 혹은 제안을 할 때 사용한다.

'-니? or -자' is used to ask a question or suggest something to a younger person or a friend in an informal speech.

형태 FORM

'-니?'는 '이다', 동사와 형용사 또는 '-으시', '-었-', '-겠-' 뒤에 붙여 쓴다. '-자'는 동사 뒤에 붙여 쓴다.

'-니?' is combined with '이다,' a verb, an adjective, '-으시,' '-었-,' or '-겠-,' '-자' is combined with a verb.

예문 EXAMPLE

- 유진아, 어디에 가**니**?
- 너는 숙제 다 했**니**?
- 민수야, 너 어디 아프**니**?
- 방학 때 뭐 하고 지냈**니**?
- 친구와 만나서 재미있게 놀았**니**?
- 오늘은 나랑 같이 책을 읽**자**.
- 나도 편의점에 가려고 했는데 그럼 같이 가**자**.
- 지금 도서관에 가려고 하는데 같이 가**자**.
- 떡볶이는 다음에 먹으러 가**자**.
- 주말에 별일 없으면 같이 영화 보러 가**자**.

활용 PRACTICE

가 : 수지야, 그동안 어떻게 지냈니?
나 : 오랜만이에요. 저는 고향에 다녀왔어요.

가 : 다음 주에 한국어 말하기 시험이 있는데 걱정이야.
나 : 나도 그래. 그럼 우리 같이 공부하자.

-아/어 보이다

의미 MEANING

어떤 대상에 대해 짐작하거나 추측할 때 사용한다.

'-아/어 보이다' is used to guess or estimate something.

형태 FORM

끝음절 모음이 'ㅏ, ㅗ' 인 형용사는 '-아 보이다', 그 외의 모음의 형용사는 '-어 보이다'를 쓴다.

When the final vowel of an adjective stem is 'ㅏ' or 'ㅗ,' '-아 보이다' is used, otherwise '-어 보이다' is used.

예문 EXAMPLE

- 우리 세종학당 선생님들은 모두 친절**해 보여요**.
- 마리 씨, 좀 피곤**해 보여요**.
- 저 소파는 편안**해 보여요**.
- 민호 씨는 오늘 기분이 좋**아 보여요**.
- 저 옷은 좀 비**싸 보여요**.
- 집이 넓**어 보여요**.
- 저 놀이 기구는 무서**워 보여요**.
- 오늘은 안나 씨가 즐거**워 보여요**.
- 저 영화는 무서**워 보여요**.
- 이 게임은 재미있**어 보여요**.

활용 PRACTICE

가 : 와! 떡볶이가 정말 맛있어 보여요.

나 : 정말요? 처음 만들어 봤는데 다행이에요.

가 : 많이 바빠 보이네. 좀 도와줄까?

나 : 괜찮아. 금방 마무리할 수 있어.

-는다고/ㄴ다고/다고 하다

의미 MEANING

다른 사람에게 들은 말을 전달할 때 사용한다.

'-는다고/ㄴ다고/다고 하다' is used to convey what is heard from another person.

형태 FORM

받침이 있는 동사는 '-는다고', 받침이 없는 동사는 '-ㄴ다고', 형용사는 '-다고 하다'를 쓴다.

'-는다고' is used when a verb ends with a consonant, and '-ㄴ다고' is used when a verb ends with a vowel. '-다고 하다' is used with an adjective.

예문 EXAMPLE

- 민수 씨는 매일 신문을 읽**는다고 해요**.
- 안나 씨는 잘 지**낸다고 해요**.
- 주노 씨가 지난주부터 요리를 배**운다고 해요**.
- 마리 씨가 요즘 회사에 일이 좀 많**다고 해요**.
- 안나 씨가 일자리를 구하는 게 쉽지 않**다고 해요**.
- 선생님께서 말하기 대회 신청은 내일까지 해야 **한다고 하세요**.
- 수지 씨가 이번에 장학금을 받았**다고 해요**.
- 다음 달에 제가 좋아하는 가수가 콘서트를 **한다고 해요**.
- 콘서트가 끝나고 사인회도 **한다고 해요**.
- 민수 씨가 지난주에 졸업식을 했**다고 해요**.

활용 PRACTICE

가 : 그 소식 들었어요? 민수 씨가 다음 달에 결혼한다고 해요.

나 : 진짜요? 정말 잘됐네요.

가 : 유성 씨가 오늘 수업에 안 왔네요.

나 : 아까 전화했는데 머리가 많이 아프다고 해요.

-나/(으)ㄴ가 보다

의미 MEANING

어떤 사실이나 상황을 보거나 들은 내용으로 추측해서 이야기할 때 사용한다.

'-나/(으)ㄴ가 보다' is used to guess a situation or a fact based on something that is heard or seen.

형태 FORM

받침이 있는 형용사는 '-은가 보다', 받침이 없는 형용사는 '-ㄴ가 보다', 동사는 '-는가 보다'를 쓴다. 명사는 '인가 보다'를 붙여 쓸 수 있다. 1인칭 주어와는 함께 쓰이지 않는다.

'-은가 보다' is used when an adjective ends with a consonant, and '-ㄴ가 보다' is used when an adjective ends with a vowel. '-는가 보다' is used wtih a verb. '인가 보다' attaches to a noun. It cannot be used with a first person subject.

예문 EXAMPLE

- 마리 씨와 재민 씨는 정말 친**한가 봐요**.
- 요즘 회사에 일이 많**은가 봐요**.
- 이번에 시험이 어려웠**나 봐요**.
- 저기 사고가 났**나 봐요**.
- 소피 씨, 몸이 안 좋**은가 봐요**.
- 수지 씨는 요즘 시험공부를 하**나 봐요**.
- 연예인에게 관심이 많**은가 봐요**.
- 방학 때 여행을 다녀왔**나 봐요**.
- 민호 씨는 대학생인**가 봐요**.

활용 PRACTICE

가: 리사 씨가 휴학했나 봐요. 이번 학기에 한 번도 못 봤어요.
나: 네. 휴학하고 고향에 돌아갔어요.

가: 진 씨가 요즘 기분이 안 좋은가 봐요.
나: 네. 열심히 했는데 이번에 장학금을 못 받았다고 해요.

-(으)ㄹ까 하다

의미 MEANING

말하는 사람의 의도를 나타내거나 바뀔 수 있는 계획을 말할 때 사용한다.

'-(으)ㄹ까 하다' is used to express uncertainity about particular behaviors.

형태 FORM

받침이 있는 동사는 '-을까 하다', 받침이 없는 동사는 '-ㄹ까 하다'를 쓴다.

'-을까 하다' is used when a verb ends with a consonant, and '-ㄹ까 하다' is used when a verb ends with a vowel.

예문 EXAMPLE

- 이번 방학에 한국으로 여행을 **갈까 합니다**.
- 서점에서 아르바이트를 **할까 해요**.
- 주말에 친구와 같이 점심을 먹**을까 해요**.
- 대학교를 졸업하면 좀 **쉴까 해요**.
- 이번 휴가에 한국어 공부를 **할까 해요**.
- 생일 파티는 학교 근처에 있는 치킨집에서 **할까 해요**.
- 일 년 후에 대학원에 **갈까 해요**.
- 한 달 동안 해외여행을 **갈까 해요**.
- 주말에 바다에 **갈까 해요**.
- 주말에 영화를 **볼까 해요**.

활용 PRACTICE

가 : 이번 주말에 뭐 할 거예요?
나 : 부동산에 가서 이사할 집을 알아볼까 해요.

가 : 오랜만에 같이 영화 볼까?
나 : 미안해. 오늘은 피곤해서 집에서 쉴까 해.

-지만 않으면

의미 MEANING

원하지 않는 상황이나 조건을 제외할 때 사용한다.

'-지만 않으면' is used to exclude an unwanted situation or condition.

형태 FORM

동사, 형용사 뒤에 쓴다. 명사의 경우 '만 아니면'의 형태로 쓸 수 있어요.

'-지만 않으면' is combined with a verb or an adjective.
'만 아니면' is used with a noun.

예문 EXAMPLE

- 비가 오**지만 않으면** 야외 공연을 할 거예요.
- 동생이 울**지만 않으면** 더 귀여울 거 같아요.
- 바쁘**지만 않으면** 참석하려고 해요.
- 맵**지만 않으면** 다 괜찮아요.
- 너무 덥**지만 않으면** 등산을 가려고 해요.
- 너무 멀**지만 않으면** 걸어가요.
- 주변이 시끄럽**지만 않으면** 괜찮아요.
- 집이 오래되**지만 않으면** 괜찮아요.
- 시험**만 아니면** 노래방에 가고 싶어요.
- 공포 영화**만 아니면** 괜찮아요.

활용 PRACTICE

가 : 내일 어떤 영화를 볼까요?
나 : 너무 무섭지만 않으면 다 괜찮아요.

가 : 어떤 집을 찾고 있어요?
나 : 학교에서 너무 멀지만 않으면 돼요.

-고 나서

의미 MEANING

앞 절의 행위를 끝내고 뒤 절의 행위를 할 때 사용한다.

'-고 나서' is used to do an act in the second clause after finishing the act in the first clause.

형태 FORM

동사 뒤에 쓴다. '-고 나서'는 '-(으)ㄴ 후에'와 바꿔 쓸 수 있다.

'-고 나서' is combined with a verb. '-(으)ㄴ 후에' can be used instead of '-고 나서.'

예문 EXAMPLE

- 운동하**고 나서** 샤워를 하면 기분이 좋습니다.
- 이를 닦**고 나서** 물을 한 잔 마셔요.
- 손을 씻**고 나서** 밥을 먹어요.
- 이사하**고 나서** 집들이를 해요.
- 청소를 하**고 나서** 빨래를 해요.
- 운동을 하**고 나서** 샤워를 해요.
- 밥을 먹**고 나서** 이를 닦아요.
- 공부를 하**고 나서** 게임을 해요.

활용 PRACTICE

가 : 아침에 일어나면 뭐 해요?
나 : 이를 닦고 나서 물을 한 잔 마셔요.

가 : 밥 먹고 나서 뭐 할까?
나 : 영화 보는 게 어때?

-(으)ㄹ 테니까

의미 MEANING

말하는 사람의 의지를 나타내는 앞 절의 내용에 근거하여 듣는 사람에게 뒤 절의 내용을 요청할 때 사용한다. '-(으)ㄹ 테니까'는 추측의 의미로도 사용할 수 있다.

'-(으)ㄹ 테니까' is used to suggest something to the listener based on what was said previously, which shows the speaker's will. It also can be used to guess.

형태 FORM

받침 있는 동사는 '-을 테니까', 받침 없는 동사는 '-ㄹ 테니까'를 쓴다.

'-을 테니까' is used when a verb ends with a consonant, and '-ㄹ 테니까' is used when a verb ends with a vowel.

예문 EXAMPLE

- 내가 오늘 맛있는 거 사 **줄 테니까** 같이 저녁 먹자.
- 제가 도와**줄 테니까** 너무 걱정하지 마세요.
- 제가 오늘 밥을 **살 테니까** 맛있는 거 먹으러 가요.
- 제가 가르쳐 드**릴 테니까** 저를 따라오세요.
- 내가 도와**줄 테니까** 스트레스 받지 마.
- 다음부터 집에 일찍 **올 테니까** 화 푸세요.
- 내가 시장에 갔다 **올 테니까** 넌 설거지 좀 해 줘.
- 이번 시험은 어려**울 테니까** 열심히 공부해야 해요.
- 오늘 오후에 비가 **올 테니까** 우산을 준비하세요.
- 내가 회의 준비를 **할 테니까** 넌 회의실 정리 좀 해 줘.

활용 PRACTICE

가: 우리 오늘 청소하자. 집이 너무 지저분하네.
나: 그래. 내가 바닥을 닦을 테니까 너는 설거지 좀 해 줘.

가: 어떡하지요? 아직 발표 준비를 덜 했어요.
나: 그래요? 제가 도와줄 테니까 너무 걱정하지 마세요.

-아/어 보니까

의미 MEANING

어떤 일을 경험한 후에 알게 된 새로운 사실이나 느낌, 생각을 표현할 때 사용한다.

'-아/어 보니까' is used when we express new facts, feelings, or thoughts we learned after experiencing something.

형태 FORM

끝음절 모음이 'ㅏ, ㅗ' 인 동사는 '-아 보니까', 그 외의 모음의 동사는 '-어 보니까'를 쓴다. '-아/어 보니까'의 뒤 문장에는 보통 과거의 표현이 온다. '-아/어 보니까' 앞에 동사 '보다'를 쓸 때에는, '보니까'의 형태로 사용한다.

When the final vowel of a verb stem is 'ㅏ' or 'ㅗ,' '-아 보니까' is used, otherwise '-어 보니까' is used. '-아/어 보니까' is usually followed by past tense expressions. When '-아/어 보니까' is combined with the verb '보다,' it is changed to '보니까.'

예문 EXAMPLE

- 제주도에 **가 보니까** 어땠어요?
- 김치를 먹**어 보니까** 맵지 않고 맛있습니다.
- 혼자 살**아 보니까** 자유롭고 편한 거 같아요.
- 경기장에서 직접 **보니까** 더 재미있는 것 같아요.
- 경주에 **가 보니까** 오래된 멋진 건물이 정말 많았어요.
- 옷을 입**어 보니까** 딱 맞았어요.
- 불고기를 만들**어 보니까** 생각보다 쉬웠어요.
- 소개 받은 사람을 만**나 보니까** 저하고 말이 잘 통해서 좋았어요.
- 그 소설을 영화를 **보니까** 더 재미있었어요.

활용 PRACTICE

가: 유리 씨, 어제 선물 받은 구두 신어 봤어요?
나: 네. 집에 가서 신어 보니까 저한테 딱 맞았어요.

가: 제주도에 가 보니까 어땠어요?
나: 바다가 정말 아름다웠어요.

-(으)려면

의미 MEANING

어떤 행동을 할 생각이나 계획이 있는 경우를 가정할 때 사용한다.

'-(으)려면' is used to suppose a plan or an intention to do something.

형태 FORM

받침 있는 동사는 '-으려면', 받침 없는 동사는 '-려면'을 쓴다.

'-으려면' is used when a verb ends with a consonant, and '-려면' is used when a verb ends with a vowel.

예문 EXAMPLE

- 서류를 받**으려면** 사무실로 가야 합니다.
- 환불하**려면** 영수증이 필요합니다.
- 교환하**려면** 일주일 안에 오셔야 해요.
- 한국어 수업을 신청하**려면** 2층에 있는 사무실로 가세요.
- 세종도서관에 가**려면** 15번 버스를 타면 돼요.
- 선생님을 만나**려면** 미리 연락을 드리고 가는 것이 좋습니다.
- 떡볶이 재료를 사**려면** 한국 마트에 가면 돼요.
- 한국어를 잘하**려면** 한국 드라마도 보고 한국인 친구와 이야기도 많이 해야 해요.
- 건강하게 살**려면** 운동을 해야 해요.

활용 PRACTICE

가 : 싸고 예쁜 옷을 사려면 어디에 가야 돼요?
나 : 학교 근처에 새로 생긴 옷 가게에 한번 가 보세요.

가 : 신분증을 다시 만들려면 뭐가 필요해요?
나 : 신청서랑 사진을 가져와야 해요.

-잖아요

의미 MEANING

듣는 사람이 이미 알고 있을 거라고 생각하며 이야기할 때 사용한다. '-잖아요'는 듣는 사람이 잘 기억하지 못하거나 잘 알지 못하고 있는 것을 정확하게 알려 줄 때도 사용한다.

'-잖아요' is used when a person says something, assuming that the listener already knows it. '-잖아요' is also used to remind or inform the listener accurately about what he or she doesn't remember or doesn't know well.

형태 FORM

동사, 형용사 뒤에 쓴다.

'-잖아요' is combined with a verb or an adjective.

예문 EXAMPLE

- 주말에 소풍 갈까요? 요즘 날씨가 좋**잖아요**.
- 이제 인터넷 연결이 잘 돼요. 지난주에 고쳤**잖아요**.
- 진 씨는 친구들에게 인기가 많아요. 성격이 좋**잖아요**.
- 케이크를 샀어요. 마리 씨 생일이**잖아요**.
- 저 친구는 한국어를 잘해요. 늘 한국어로 말하려고 노력하**잖아요**.
- 버튼을 안 눌렀**잖아요**.
- 회의 시간이 3시로 바뀌었**잖아요**.
- 선배는 신입생이 아니**잖아요**.

활용 PRACTICE

가: 노트북이 고장 났는데 어떻게 하지요?
나: 회사 앞에 서비스 센터가 있잖아요. 거기 가 보세요.

가: 이번 주 금요일이 시험이지?
나: 아니야. 다음 주 금요일이잖아.

-(으)려다가

의미 MEANING

어떤 행동을 할 의도가 있었지만 다른 일이 생겨서 그것을 중단하거나 하지 않을 때 사용한다.

'-(으)려다가' is used when a person intended to do something but he / she stops or doesn't do it due to something else.

형태 FORM

받침 있는 동사는 '-으려다가', 받침 없는 동사는 '-려다가'를 쓴다.

'-으려다가' is used when a verb ends with a consonant, and '-려다가' is used when a verb ends with a vowel.

예문 EXAMPLE

- 구두를 신**으려다가** 운동화를 신었어요.
- 주말에 등산을 가**려다가** 날씨가 너무 추워서 안 갔습니다.
- 화면만 수리하**려다가** 전체를 수리했어요.
- 카메라를 수리하**려다가** 그냥 새로 샀어요.
- 주노 씨한테 말하**려다가** 화를 낼 것 같아서 아직 말 못 했어요.

활용 PRACTICE

가: 미나 씨, 빨리 왔네요.

나: 늦을 것 같아서 버스를 타려다가 택시를 탔어요.

가: 컴퓨터 어떻게 수리했어요?

나: 서비스 센터에 가려다가 컴퓨터를 잘 고치는 친구에게 부탁했어요.

-(으)ㄴ 지

의미 MEANING

어떤 일을 한 후 시간이 얼마쯤 지났다는 것을 나타낼 때 사용한다.

'-(으)ㄴ 지' is used to express that time has passed after something was done.

형태 FORM

받침 있는 동사는 '-은 지', 받침 없는 동사는 '-ㄴ 지'를 쓴다.
'-(으)ㄴ 지 얼마나 됐어요/지났어요?'의 형태로 질문하고 '-(으)ㄴ 지 (시간) 됐어요/지났어요'라고 대답한다.
보통 '지났어요'는 비교적 짧은 시간 표현과 함께 사용한다.

'-은 지' is used when a verb ends with a consonant, and '-ㄴ 지' is used when a verb ends with a vowel. '-(으)ㄴ 지 얼마나 됐어요/지났어요?' is used to ask a question and '-(으)ㄴ 지 (시간) 됐어요/지났어요' is used to answer. '지났어요' is usually used with short temporal expressions.

예문 EXAMPLE

- 전화**한 지** 꽤 됐는데 아직 안 오네.
- 한국어를 배**운 지** 얼마나 됐어요?
- 한국에서 **산 지** 벌써 10년이 됐어요.
- 그 책을 읽**은 지** 너무 오래돼서 내용이 잘 기억나지 않아요.
- 만**난 지** 한 달밖에 안 됐는데 결혼한다니 깜짝 놀랐어요.
- 그 책을 읽**은 지** 너무 오래돼서 내용이 잘 기억나지 않아요.
- 유진 씨가 여자 친구와 만**난 지** 3년이 되는 기념일이에요.
- 이 회사에서 일**한 지** 5년이 됐습니다.

활용 PRACTICE

가 : 결혼한 지 얼마나 되셨어요?
나 : 3년 됐어요.

가 : 점심 먹은 지 한 시간밖에 안 지났는데 벌써 배가 고프네.
나 : 그럼 간식 좀 먹을까?

-자고 하다

의미 MEANING

어떤 일을 같이 할 것을 권유하거나 제안할 때 사용한다.

'-자고 하다' is used to suggest or invite someone to do something together.

형태 FORM

동사 뒤에 쓴다. '-자고'도 다른 인용 표현처럼 '-자고 했어요'나 '-자고 말했어요'의 형태로 말할 수 있다.

'-자고 하다' is combined with a verb. '-자고' can be used in the form of '-자고 했어요' or '-자고 말했어요' like other expressions used to quote or tell what someone else said.

예문 EXAMPLE

- 주말에 동생이 같이 쇼핑하**자고 했어요**.
- 마크 씨가 점심을 먹**자고 했어요**.
- 주노 씨 집에서 같이 요리하**자고 했어요**.
- 주말에 같이 자전거를 타**자고 했어요**.
- 주말에 동생에게 어버이날 선물을 사러 가**자고 했습니다**.
- 친구가 같이 영화를 보**자고 했어요**.
- 스무 살이 되면 같이 여행을 가**자고 했어요**.
- 졸업을 하면 제주에서 살**자고 했어요**.
- 취직을 하면 이사를 하**자고 했어요**.
- 시험이 끝나면 맛있는 음식을 먹**자고 했어요**.

활용 PRACTICE

가 : 주노가 수영장에 같이 가자고 했는데 너도 같이 갈래?

나 : 응. 그래. 같이 가자.

가 : 재민 씨, 내일 회의 2시에 하자고 팀원들에게 말해 주세요.

나 : 네. 알겠습니다.

-기 위해서

의미 MEANING

어떤 상황이나 행동이 발생하게 된 목적, 의도를 나타낼 때 사용한다.

'-기 위해서' is used to express a purpose or an intention for particular situations or behaviors.

형태 FORM

동사 뒤에 쓴다. 명사와 함께 '을/를 위해서'의 형태로 사용할 수도 있다.

'-기 위해서' is combined with a verb. It also can be used in the form of '을/를 위해서' with a noun.

예문 EXAMPLE

- 한국 역사를 배우**기 위해서** 유학을 가려고 해요.
- 우리가 마크 씨의 생일을 축하하**기 위해서** 케이크를 준비했어요.
- 환경을 보호하**기 위해서** 여러 가지 활동을 한 사람에게 상을 준다고 해요.
- 즐겁게 살**기 위해서** 일주일에 하루는 하고 싶은 것을 해요.
- 한글날을 기념하**기 위해** 준비한 행사에 와 주셔서 대단히 감사합니다.
- 취직한 친구**를 위해서** 선물을 샀어요.

활용 PRACTICE

가 : 어떻게 하면 한국어를 더 잘할 수 있을까요?
나 : 저는 한국어 실력을 늘리기 위해서 매일 한국 드라마를 보고 있어요.

가 : 민수 씨는 항상 건강해 보이는데 어떻게 한 거예요?
나 : 저는 건강을 유지하기 위해서 아침마다 운동을 하고 있어요.

08

-아야겠다/어야겠다

의미 MEANING

어떤 행위를 할 것이라는 강한 의지를 나타낼 때 사용한다.

'-아야겠다/어야겠다' is used to express a strong will to do something.

형태 FORM

끝음절 모음이 'ㅏ, ㅗ' 인 동사는 '-아야겠다', 그 외의 모음의 동사는 '-어야겠다'를 쓴다.

When the final vowel of a verb stem includes 'ㅏ' or 'ㅗ,' '-아야겠다' is used, otherwise '-어야겠다' is used.

예문 EXAMPLE

- 너무 더우니까 시원한 음료수를 마**셔야겠어요**.
- 휴가니까 여행을 **가야겠어요**.
- 어제 늦게까지 일했으니까 오늘은 쉬**어야겠어요**.
- 배가 아프니까 병원에 **가야겠어요**.
- 책상이 지저분하니까 정리를 **해야겠어요**.
- 한국어 실력을 높이기 위해 매일 단어를 5개씩 외**워야겠어요**.
- 한국어 실력을 높이기 위해 한국인 친구와 하루에 오 분씩 통화**해야겠어요**.
- 주말에 대청소를 **해야겠습니다**.

활용 PRACTICE

가 : 저기 새로 생긴 식당 있지? 거기 어제 갔는데 정말 맛있었어.
나 : 나도 한번 가 봐야겠다.

가 : 다음 달에 노래 대회를 한다고 해요. 미나 씨, 한번 나가 보세요.
나 : 그래요? 어떻게 신청하는지 알아봐야겠어요.

-아지다/어지다

의미 MEANING

시간이 지나면서 어떤 상태가 조금씩 변화하는 과정을 나타낼 때 사용한다.

'-아지다/어지다' is used to express the progress of change as time passes.

형태 FORM

끝음절 모음이 'ㅏ, ㅗ' 인 형용사는 '-아지다', 그 외의 모음의 형용사는 '-어지다'를 쓴다.

When the final vowel of an adjective stem is 'ㅏ' or 'ㅗ,' '-아지다' is used, otherwise '-어지다' is used.

예문 EXAMPLE

- 음악을 들어서 기분이 좋**아졌어요**.
- 손을 씻어서 깨끗**해졌어요**.
- 열심히 공부를 해서 한국어 실력이 좋**아졌어요**.
- 집 근처에 나무가 많**아졌어요**.
- 오늘은 날씨가 맑**아졌어요**.
- 지금은 한국 친구가 많**아졌어요**.
- 운동을 해서 지금은 건강**해졌어요**.
- 일이 많아서 힘들**어졌어요**.
- 맛있는 음식을 먹으면 즐거**워져요**.
- 저는 좋아하는 가수의 노래를 들으면 행복**해집니다**.

활용 PRACTICE

가: 오늘 기분이 좋아 보이네요.

나: 네. 날씨가 좋은 날 운동하면 기분이 상쾌해져요.

가: 비행기가 두 시간 정도 늦게 도착한다고 해요.

나: 그렇게 늦어지는 걸 보니까 날씨가 안 좋은가 봐요.

-는/(으)ㄴ 대신에

의미 MEANING

어떤 행위나 상태를 다른 것으로 대체할 때 사용한다.

'-는/(으)ㄴ 대신에' is used to substitute a particular behavior or a state with something else.

형태 FORM

동사는 '-는 대신에', 받침이 있는 형용사는 '-은 대신에', 받침이 없는 형용사는 '-ㄴ 대신에'를 쓴다.

'-는 대신에' is used with a verb, '-은 대신에' is used with an adjective which ends with a consonant, and '-ㄴ 대신에' is used with an adjective which ends with a vowel.

예문 EXAMPLE

- 백화점은 물건 값이 비**싼 대신에** 품질이 좋아요.
- 제 동생은 노래를 못하**는 대신에** 춤을 잘 춰요.
- 오늘 여기저기 갈 곳이 많아서 구두를 신**는 대신에** 운동화를 신는 것이 좋겠어요.
- 운전해야 하니까 술을 마시**는 대신에** 커피나 한잔해요.
- 배가 아파서 밥을 먹**는 대신에** 수프를 먹었어요.
- 비가 많이 와서 산책하**는 대신에** 집에서 텔레비전을 보려고 해요.
- 일이 많아서 친구를 만나**는 대신에** 회사에서 좀 더 일하려고 해요.
- 주말에 도서관에 가**는 대신에** 카페에서 공부했습니다.

활용 PRACTICE

가 : 오늘 날씨가 너무 흐린 거 같아요.
나 : 날씨가 흐린 대신에 시원해서 좋네요.

가 : 아침 먹었어?
나 : 아침에 시간이 없어서 밥을 먹는 대신에 우유 한 잔 마셨어.

-도록 하다

의미 MEANING

다른 사람에게 어떤 행위를 시키거나 허락할 때 사용한다.
'-도록'은 행위의 목적을 나타낼 때 사용하기도 한다.

'-도록 하다' is used to tell or allow someone to do something.
'-도록' is also used to express the purpose of a particular behavior.

형태 FORM

동사 뒤에 쓴다.

'-도록 하다' is combined with a verb.

예문 EXAMPLE

- 밤에 잠이 안 오면 목욕을 해 보**도록 하세요**.
- 밥을 적게 먹었는데도 소화가 잘 안 되면 소화제를 먹어 보**도록 해 봐요**.
- 한국어를 더 잘하고 싶으면 한국 친구를 사귀어 보**도록 하세요**.
- 앞에 앉은 사람부터 순서대로 나가**도록 하십시오**.
- 이가 아프면 치과에 가**도록 하세요**.
- 교실에서는 먼저 인사하**도록 하세요**.
- 노약자가 앉을 수 있**도록** 자리를 양보해 주세요.
- 실수하지 않**도록** 최선을 다해 연습하고 있어요.

활용 PRACTICE

가 : 감기에 걸려서 목이 아파요.
나 : 푹 쉬고 따뜻한 물을 자주 마시도록 하세요.

가 : 오늘 늦어서 죄송합니다.
나 : 내일은 일찍 오도록 하세요.

-아야/어야

의미 MEANING

앞의 내용이 뒤에 오는 내용의 필수 조건임을 나타낼 때 사용한다.

'-아야/어야' is used to express that the preceding content is a prerequisite to doing the following content.

형태 FORM

끝음절 모음이 'ㅏ, ㅗ'인 동사, 형용사는 '-아야', 그 외의 모음의 동사, 형용사는 '-어야'를 쓴다.

When the final vowel of a verb stem or an adjective stem is 'ㅏ' or 'ㅗ,' '-아야' is used, otherwise '-어야' is used.

예문 EXAMPLE

- 택시를 **타야** 기차를 놓치지 않을 거예요.
- 여권이 있**어야** 해외여행을 갈 수 있어요.
- 영수증이 있**어야** 옷을 바꿀 수 있어요.
- 아침을 먹**어야** 건강에 좋아요.
- 오늘 일을 다 끝**내야** 퇴근할 수 있어요.
- 날씨가 좋**아야** 등산을 갈 수 있을 거예요.
- 학생들의 이야기를 잘 들어 **줘야** 좋은 선생님이 될 수 있어요.
- 수업 시간에 한국어로 말**해야** 한국어 실력이 좋아질 수 있어요.
- 감기는 잘 쉬**어야** 빨리 낫습니다.

활용 PRACTICE

가: 요즘 아침에 일찍 일어나기가 힘들어요.
나: 일찍 자야 일찍 일어날 수 있어요.

가: 언제 퇴근할 거예요?
나: 오늘 일을 다 끝내야 퇴근할 수 있어요.

-다 보면

의미 MEANING

어떤 행동을 하는 과정 중에 새로운 것을 깨닫거나 새로운 상태가 됨을 나타낼 때 사용한다.
'-다 보니까'를 사용하면 어떤 행동을 하는 과정 중에 새로운 것을 깨닫거나 새로운 상태가 되었다는 과거의 의미를 나타낼 수 있다.

'-다 보면' is used to express that a person realizes something or changes his / her state of mind while doing something.
'-다 보니까' is used to express that a person realized something or changed his / her state of mind while doing something in the past.

형태 FORM

동사 뒤에 쓴다.

'-다 보면' is combined with a verb.

예문 EXAMPLE

- 연습하**다 보면** 한국어 발음이 점점 좋아질 거예요.
- 계속 배우**다 보면** 요리를 잘하게 될 거예요.
- 조용한 노래를 듣**다 보면** 마음이 편안해져서 좋아요.
- 책을 읽**다 보면** 시간 가는 줄 몰라요.
- 운동을 규칙적으로 하**다 보면** 몸이 건강해질 거예요.
- 매일 웃**다 보면** 좋은 기분이 들 거예요.
- 재미로 하**다 보니까** 요리 실력이 많이 늘었어요.

활용 PRACTICE

가 : 요즘 빵 만들기에 푹 빠졌어요. 빵을 만들다 보면 시간이 금방 가요.
나 : 저도 한번 배워 보고 싶네요.

가 : 일이 어렵지 않으니까 하다 보면 금방 배울 수 있을 거예요.
나 : 네. 열심히 하겠습니다.

-더라고요

의미 MEANING

과거에 직접 보거나 경험하여 알게 된 사실을 회상하여 말할 때 사용한다.

'-더라고요' is used to recall and tell about something that was seen or experienced in the past.

형태 FORM

동사와 형용사 뒤에 쓴다.

'-더라고요' is combined with a verb or an adjective.

예문 EXAMPLE

- 태권도가 생각보다 너무 힘들**더라고요**.
- 어제 백화점에 갔는데 세일 기간이라 사람들이 많**더라고요**.
- 지난 주말에 그 영화를 봤는데 재미있**더라고요**.
- 회사 앞에 새로 생긴 식당 음식이 맛있**더라고요**.
- 요가를 배워 보니 어렵**더라고요**.
- 시골에서 한 달을 살아 본 적이 있는데 생각보다 재미있**더라고요**.
- 등산을 가 보니까 생각보다 힘들**더라고요**.
- 비행기를 타니까 기차보다 빠르**더라고요**.

활용 PRACTICE

가: 혹시 주노 씨도 이 책 읽어 봤어요? 요즘 인기가 많더라고요.

나: 읽어 봤는데 저는 별로 재미없더라고요.

가: 오늘도 카페에서 공부할 거야?

나: 응. 나는 도서관보다 카페가 집중이 잘 되더라고요.

-는다/ㄴ다/다

의미 MEANING

뉴스 기사, 보고서 등 주로 격식을 갖춰 글을 쓸 때 사용한다.

'-는다/ㄴ다/다' is used in written formal language, such as in news articles or reports.

형태 FORM

받침이 있는 동사는 '-는다', 받침이 없는 동사는 '-ㄴ다', 형용사는 '-다'를 쓴다. 받침이 있는 명사는 '이다', 받침이 없는 명사는 '다'를 쓴다.

'-는다' is used when a verb stem ends with a consonant, and '-ㄴ다' when a verb stem ends with a vowel. '-다' is used with an adjective. '이다' is used when a noun ends with a consonant, and '다' when a noun ends with a vowel.

예문 EXAMPLE

- 시간이 날 때마다 영화를 **본다**.
- 작년에 처음으로 한국에 갔**다**.
- 한국의 여름은 습도가 높고 매우 덥**다**.
- 남자와 여자는 춤을 **춘다**.
- 이 방에는 책이 많**다**.
- 소파는 빨간색**이다**.
- 내일은 휴일**이다**.
- 저곳이 우리 학교**다**.
- 내가 사는 곳은 제주도**다**.
- 이 사람은 10년 전에 가수였**다**.

활용 PRACTICE

나는 책을 좋아한다.
그래서 시간이 날 때마다 책을 읽는다.

작년에 처음으로 한국에 갔다.
올해 휴가에도 한국에 갈 것이다.

-(으)라고 하다

의미 MEANING

명령이나 권유 등의 내용을 전달할 때 사용한다.

'-(으)라고 하다' is used to convey someone else's order or suggestion.

형태 FORM

받침이 있는 동사는 '-으라고 하다', 받침이 없는 동사는 '-라고 하다'를 쓴다. '-지 마세요'라고 말했을 때는 '-지 말라고 하다'로 말한다. 그리고 '-아/어 주세요'를 말했을 때, 제3자가 아니라 말하는 사람 자신에게 필요한 것을 부탁할 때는 '-아/어 주라고 하다'가 아니라 '-아/어 달라고 하다'라고 말한다.

'-으라고 하다' is used when a verb stem ends with a consonant, and '-라고 하다' is used when a verb stem ends with a vowel. When someone else says '-지 마세요,' '-지 말라고 하다' is used. When someone says '-아/어 주세요,' or asks something to himself / herself, not to a third party, '-아/어 달라고 하다' is used instead of '-아/어 주라고 하다.'

예문 EXAMPLE

- 엄마가 아이에게 장난감 좀 치우**라고 했어요**.
- 의사가 환자에게 운동하지 말고 쉬**라고 했어요**.
- 룸메이트가 나에게 청소를 하**라고 했어요**.
- 손님이 점원에게 물을 **달라고 했어요**.
- 친구가 나에게 책을 빌려 **달라고 했어요**.
- 한국 친구가 한국어 듣기를 연습하려면 한국 드라마를 많이 보**라고 했어요**.
- 내일까지 쓰기 숙제를 내**라고 하셨어요**.
- 집에서 교재 15쪽을 읽**으라고 하셨어요**.
- 수업에 지각하**지 말라고 하셨어요**.

활용 PRACTICE

가: 이 영화 재미있을까?
나: 마크가 진짜 재미있으니까 꼭 보라고 했어.

가: 병원 갔다 왔어? 의사 선생님이 뭐라고 하셨어?
나: 운동하지 말고 쉬라고 하셨어.

부록

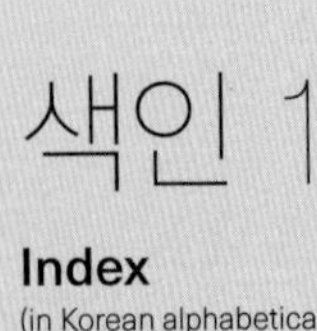

Index
(in Korean alphabetical order)

3A

1부. 어휘와 표현

2부. 문법

색인 2

Index
(in English alphabetical order)

3A

※ 이 교재는 산돌폰트 외 Ryu 고운한글돋움OTF, Ryu 고운한글바탕OTF 등을 사용하여 제작되었습니다. Ryu 고운한글돋움OTF, Ryu 고운한글바탕OTF 서체는 서체 디자이너 류양희 님에게서 제공 받았습니다.

세종한국어 | 어휘·표현과 문법 3A

문화체육관광부
국립국어원

(07511) 서울 강서구 금낭화로 154
전화: +82(0)2-2669-9775
전송: +82(0)2-2669-9747
홈페이지 http://www.korean.go.kr

기획·담당	박미영	국립국어원 학예연구사
	조 은	국립국어원 학예연구사
책임 집필	이정희	경희대학교 국제교육원 교수
공동 집필	박진욱	대구가톨릭대학교 한국어문학과 조교수
	손혜진	고려대학교 국제한국언어문화연구소 연구교수
	김윤경	부산외국어대학교 한국어문화교육원 교사
	이정윤	계명대학교 국제사업센터 한국어학당 강사
	윤세윤	경희대학교 국제교육원 객원교수
집필 보조	고정대	대구가톨릭대학교 국어국문학과 박사과정
	심지연	고려대학교 교양교육원 초빙교수
	정성호	경희대학교 국어국문학과 박사수료
	서유리	경희대학교 국어국문학과 박사과정
번역 감수	변우영	오하이오주립대학교 동아시아어문학과 부교수

초판 1쇄 인쇄 2022년 8월 15일
초판 1쇄 발행 2022년 9월 1일

ISBN 978-89-97134-42-7 (14710)
ISBN 978-89-97134-21-2 (세트)

출판·유통 공앤박 주식회사(www.kongnpark.com)
(05116)서울시 광진구 광나루로56길 85, 프라임센터 1518호
전화: +82(0)2-565-1531
전송: +82(0)2-3445-1080
전자우편: info@kongnpark.com

총괄 | 공경용
책임 편집 | 이유진, 이진덕, 여인영
영문 편집 | 성수정, Kassandra Lefrancois-Brossard
아트디렉팅 | 오진경
디자인 | 이종우, 서은아, 이승희
제작 | 공일석, 최진호
IT 지원 | 손대철, 김세훈
마케팅 | Sung A. Jung, Paulina Zolta, 윤성호